JOSEPH

QUARTET

for 2 Violins, Viola and Violoncello
F major/F-Dur/Fa majeur
Hob. III: 10
(Op. 2/4)

Edited by/Herausgegeben von
Wilhelm Altmann

Ernst Eulenburg Ltd
London · Mainz · New York · Tokyo · Zürich

Quartet Nº 10

I

Joseph Haydn, Op. 2, Nº 4
1732–1809

20
p
p
p
p

f
f
f
f
p
p

30
f
f
f
f
p
f
f
f

p
p
p
p
f
f
f
f

40
p
p
p
p
f
f
f
f

G.P.
G.P.
G.P.
G.P.

50
p
p
p
p

f
f
f
f

60
p
p
p
p

70
f
f
f
f

p
p
p
p

II

Menuetto

tr
tr

20
p
p
p
p

30
f
f
f
f

tr
tr
Fine

Trio

Menuetto D.C.

III

Adagio non troppo

30
tr
mf
mf
mf
mf

p
pp
p
pp
p
pp
p
pp

40
p
p
p
p

50

p
p
p
p

60

70

tr
80

IV

Menuetto

20
Trio
p
p
p
p
Fine

tr
tr

30

40
tr
tr
Menuetto D. C.

V

Allegro

30

40

50
tr

tr
60

70